U0146430

唐·颜真卿祭侄文稿

中国书法名碑名帖原色放大本

胡紫桂 主编

湖南美术出版社
全国百佳图书出版单位

图书在版编目（CIP）数据
唐·颜真卿祭侄文稿 / 胡紫桂主编. -- 长沙：湖南美术出版社，2014.12
（中国书法名碑名帖原色放大本）
ISBN 978-7-5356-7123-3
Ⅰ. ①唐… Ⅱ. ①胡… Ⅲ. ①行书-碑帖-中国-唐代 Ⅳ. ①J292.24
中国版本图书馆 CIP 数据核字（2014）第 311690 号

唐·颜真卿祭侄文稿
（中国书法名碑名帖原色放大本）

出 版 人：黄　啸
主　　编：胡紫桂
副 主 编：成　琢　陈　麟
编　　委：冯亚君　邹方斌　倪丽华　齐　飞
责任编辑：成　琢　邹方斌
责任校对：徐　晶
装帧设计：造书房
版式设计：田　飞　彭　莹
出版发行：湖南美术出版社
（长沙市东二环一段 622 号）
经　　销：全国新华书店
印　　刷：成都中嘉设计印务有限责任公司
（成都蛟龙工业港双流园区李渡路街道 80 号）
开　　本：889×1194　1/8
印　　张：1.5
版　　次：2014 年 12 月第 1 版
印　　次：2019 年 9 月第 4 次印刷
书　　号：ISBN 978-7-5356-7123-3
定　　价：25.00 元

【版权所有，请勿翻印、转载】
邮购联系：028-85939832　邮编：610041
网　　址：http://www.scwj.net
电子邮箱：contact@scwj.net
如有倒装、破损、少页等印装质量问题，请与印刷厂联系斢换。
联系电话：028-85939809

《祭侄文稿》，全称《祭侄季明文稿》，墨迹纸本，横75.5cm，纵28.3cm，此帖整篇23行，234字，现藏『台北故宫博物院』，是颜真卿的书法代表作，有『天下第二行书』之誉。

颜真卿（708—784），字清臣，京兆万年（今陕西西安）人，唐代著名的书法家。曾任殿中侍御史、平原太守、吏部尚书、太子太师，封鲁郡开国公，故又有『颜平原』、『颜鲁公』之称。唐建中四年（783），遭奸相陷害，在派往叛将李希烈部劝谕过程中，被李缢杀。颜真卿一生秉性正直，以忠贞刚烈名垂青史。他的书法字如其人，刚正不阿，用笔稳健、点画丰腴、结体宽博、字形外拓，改变了初唐以来的『瘦硬』之风，代之以饱满充盈，颇具盛唐气象。

《祭侄文稿》即唐乾元元年（758）九月，颜真卿追祭堂侄颜季明而书写的祭文草稿。唐代安禄山叛乱，时任常山郡太守的颜杲卿（颜真卿堂兄）父子一门与叛军英勇抗战，由于『贼臣不救，孤城围逼』，以致城破，『父陷子死，巢倾卵覆』，颜杲卿与子颜季明先后为国捐躯。面对国恨家仇，五十岁的颜真卿悲愤交加，笔墨含泪，一气呵成，写下了这篇正义凛凛的《祭侄文稿》，成就了一部中国书法经典。此帖用笔时而沉重，时而疾驰；结字时而平正，时而险绝；行文中删改涂抹，墨色浓枯，一任自然。就整体而言，从开篇『维乾元元年……』的平实朴厚，行至『贼臣不救……』，逐渐地转向激越纵横，『呜呼哀哉，吾承天泽……』往后，则由行及草，用笔连绵、字势跌宕，将悲痛之情推向了巅峰，堪称书法艺术中情感与形式完美统一的典范。

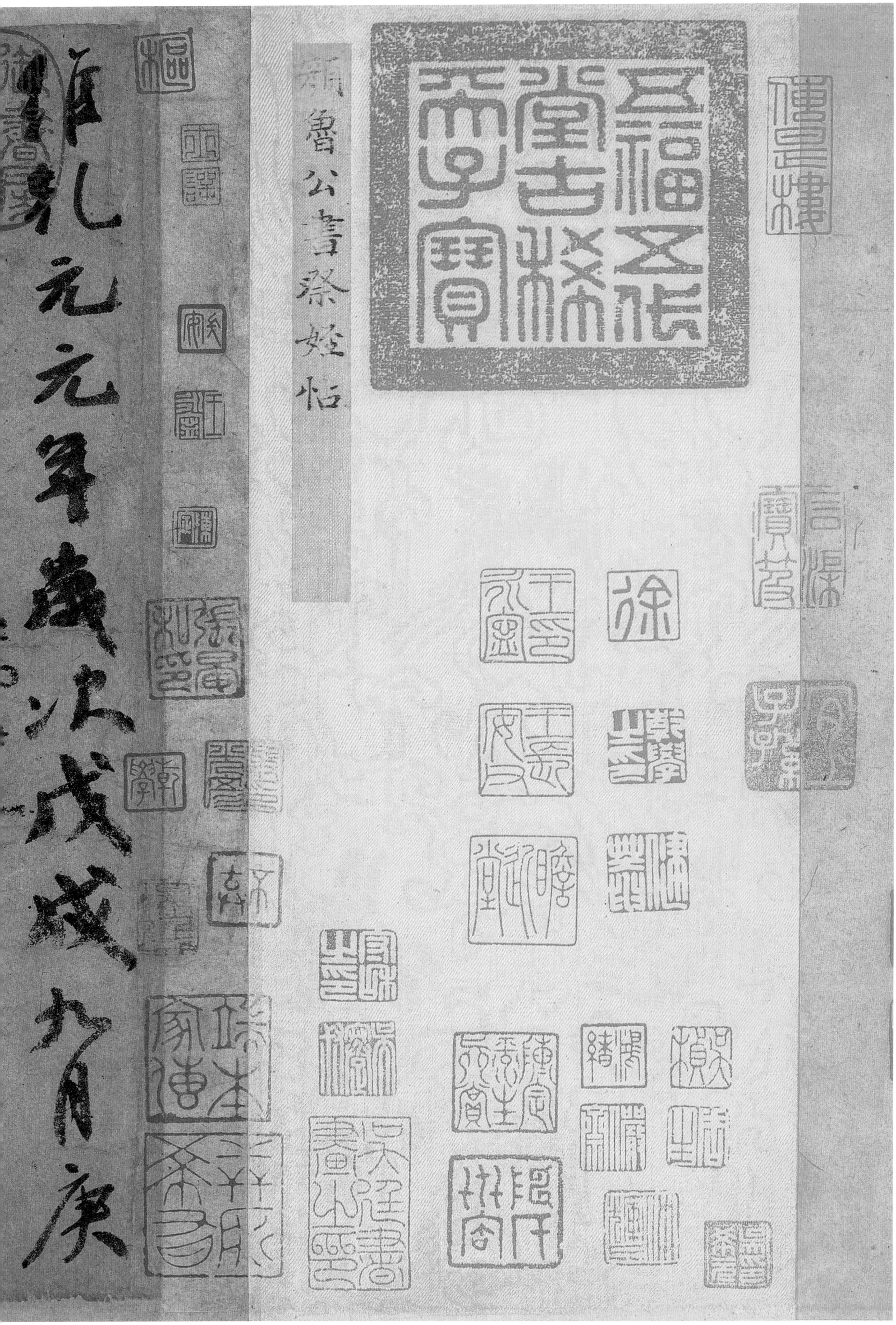

维乾元元年，岁次戊戌，九月庚

午朔三日壬申，第十三叔、银青光禄（大）夫、使持节、蒲州诸军事、蒲州刺史、上轻车都尉、丹杨县开国侯真卿，以清酌庶羞，祭于亡侄赠赞善大夫季明之灵：惟尔挺生，夙标幼德。宗庿（庙）瑚琏，

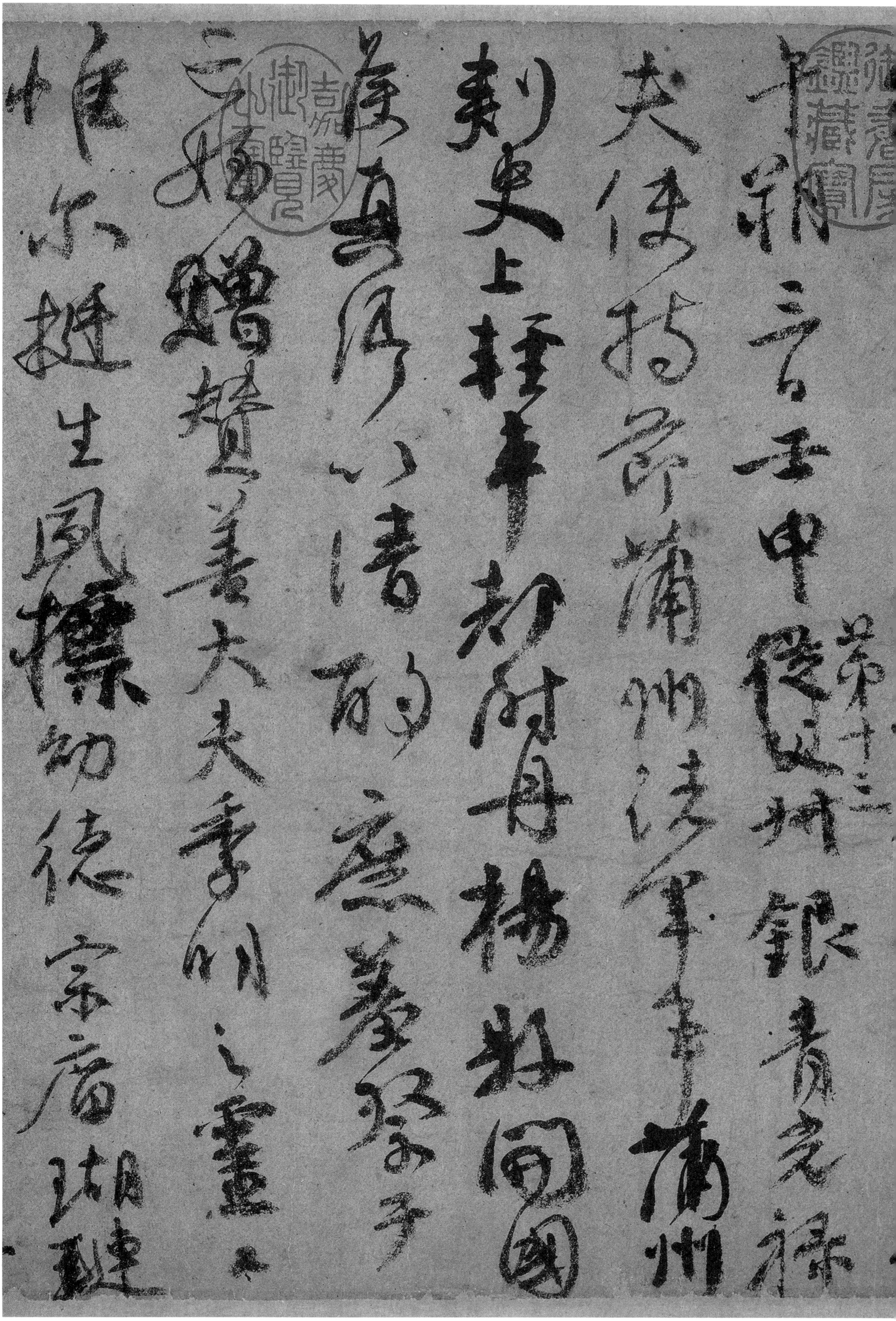

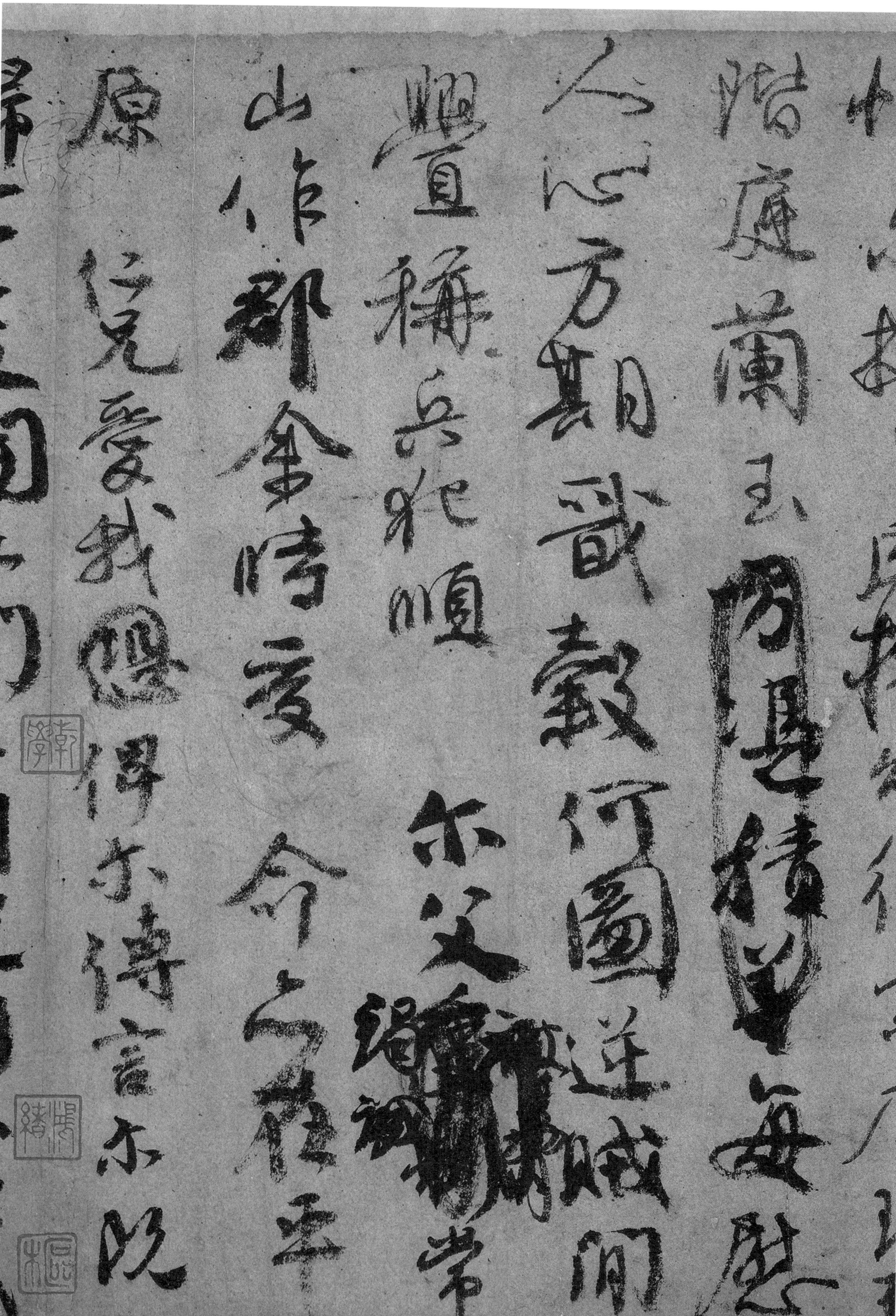

阶庭兰玉。每慰人心，方期戬穀。何图逆贼间衅，称兵犯顺。尔父竭诚，常山作郡。余时受命，亦在平原。仁兄爱我，俾尔传言。尔既

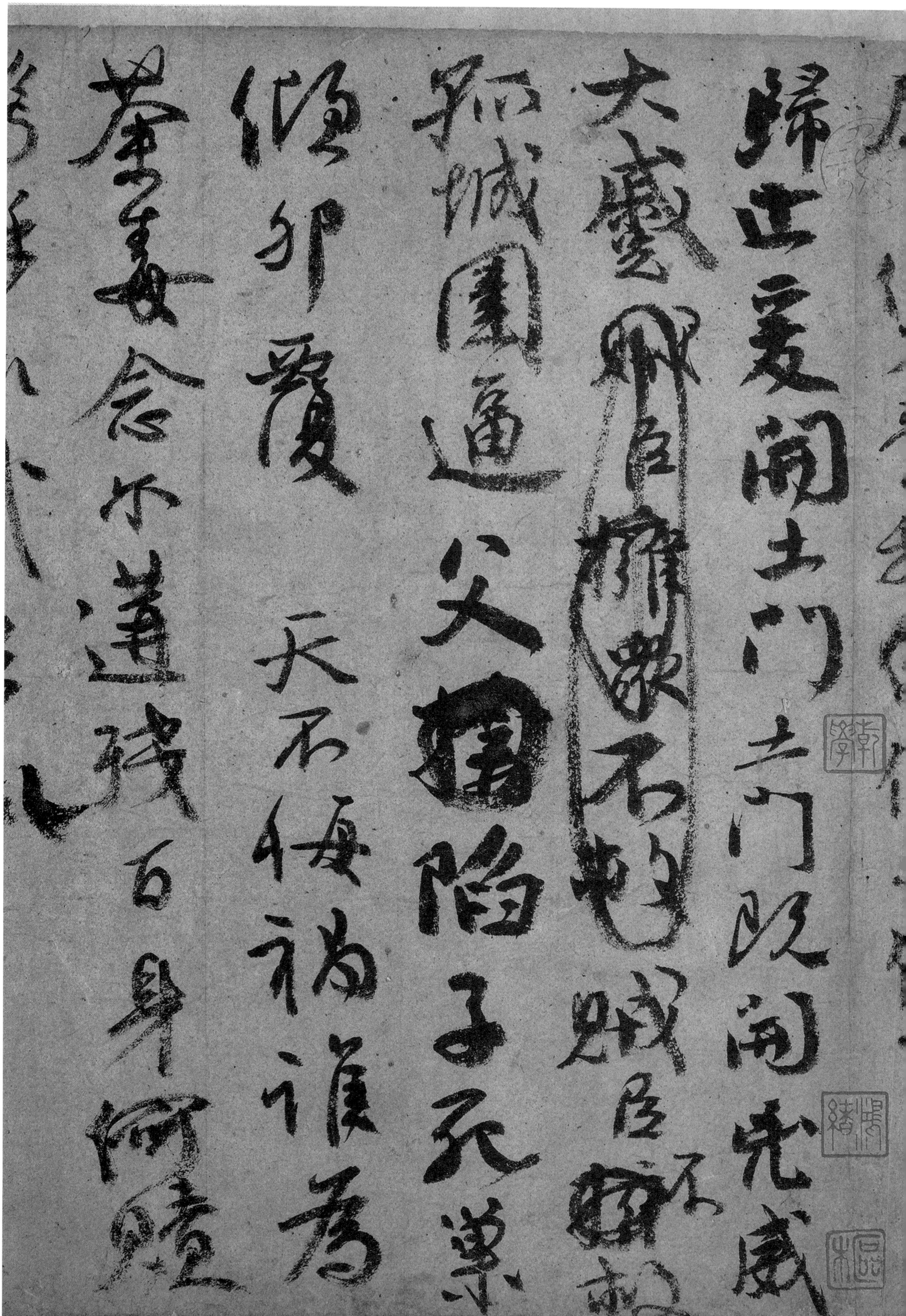

归止，爱开土门。土门既开，凶威大蹙。贼臣不救，孤城围逼。父陷子死，巢倾卵覆。天不悔祸，谁为荼毒？念尔遘残，百身何赎。

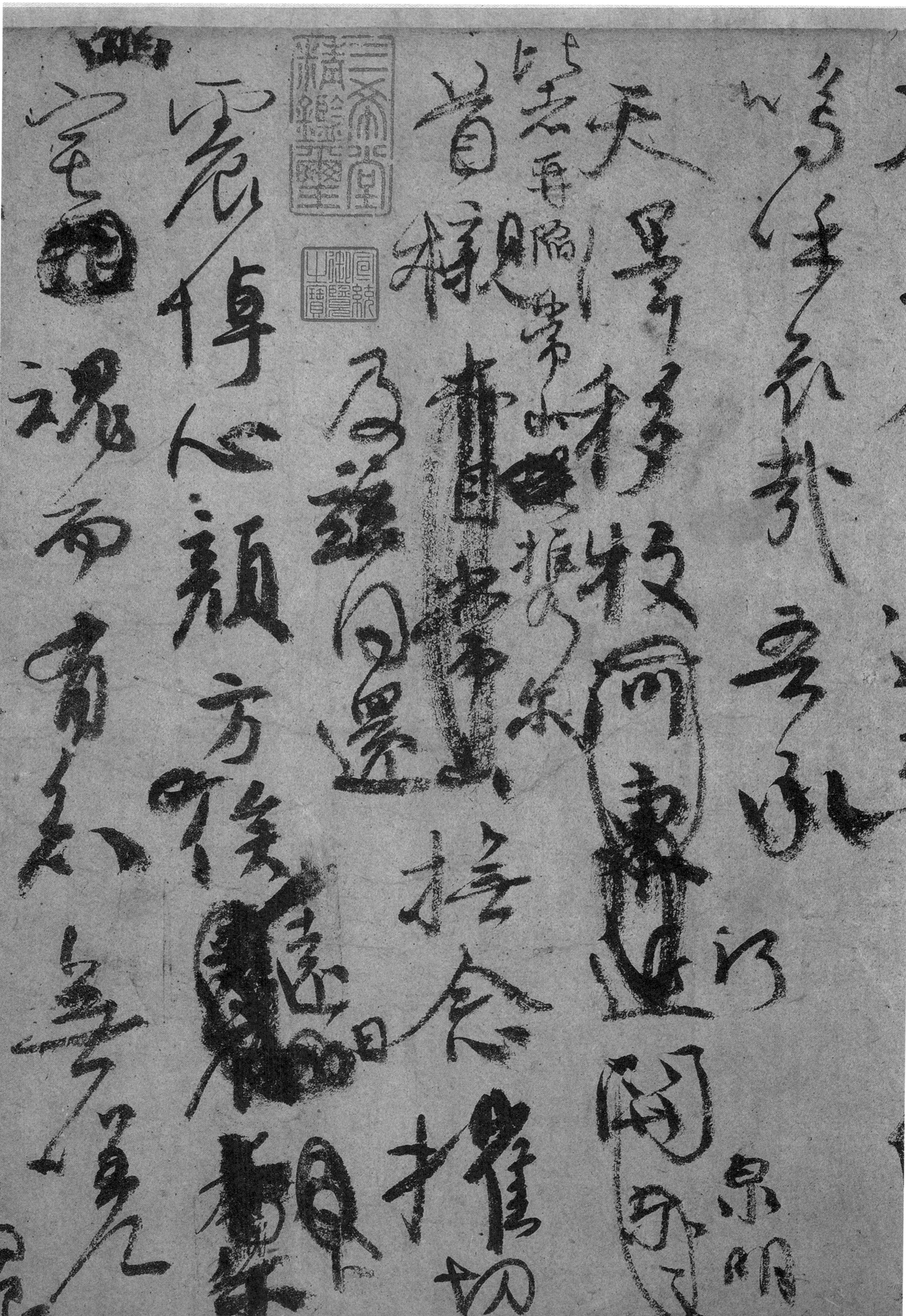

呜呼哀哉！吾承天泽，移牧河关。泉明比者，再陷常山。携尔首榇，及并同还。抚念摧切，震悼心颜。方俟远日，卜尔幽宅。魂而有知，无嗟久客。呜呼哀哉！尚飨。

右魯公祭姪藁共計字
二百三十四字又塗抹
三十四合二百六十八

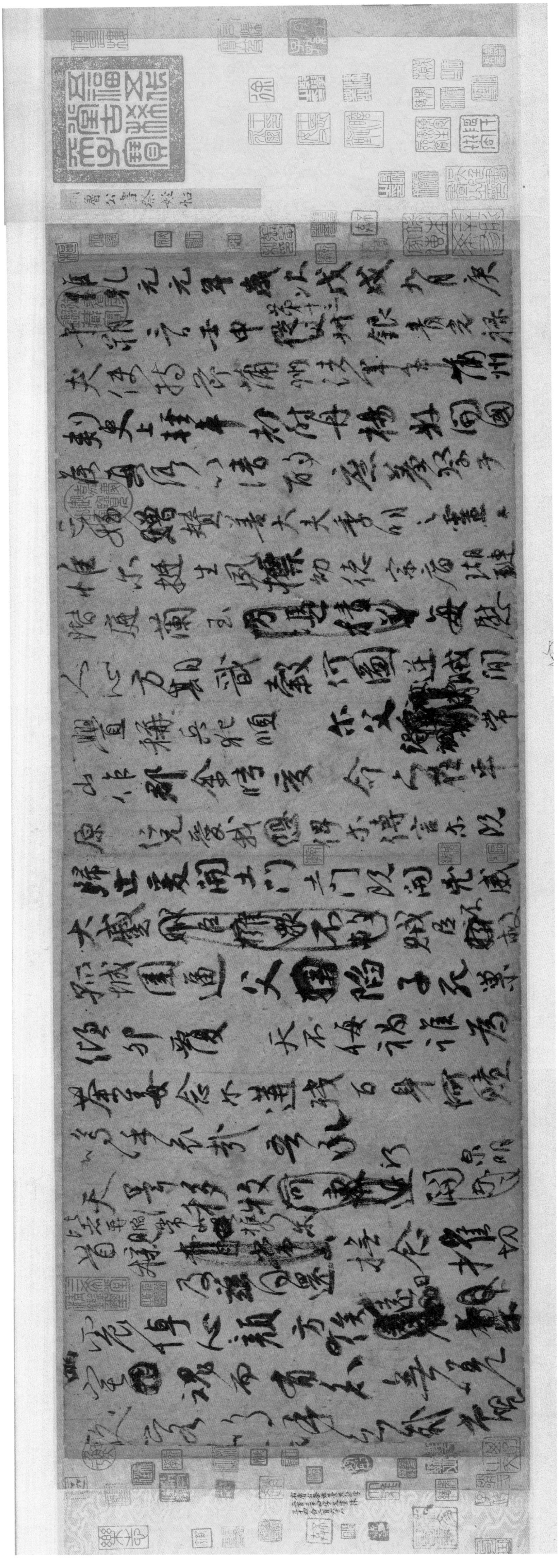

大佳也何為
刺史上轉年
復毋得以清

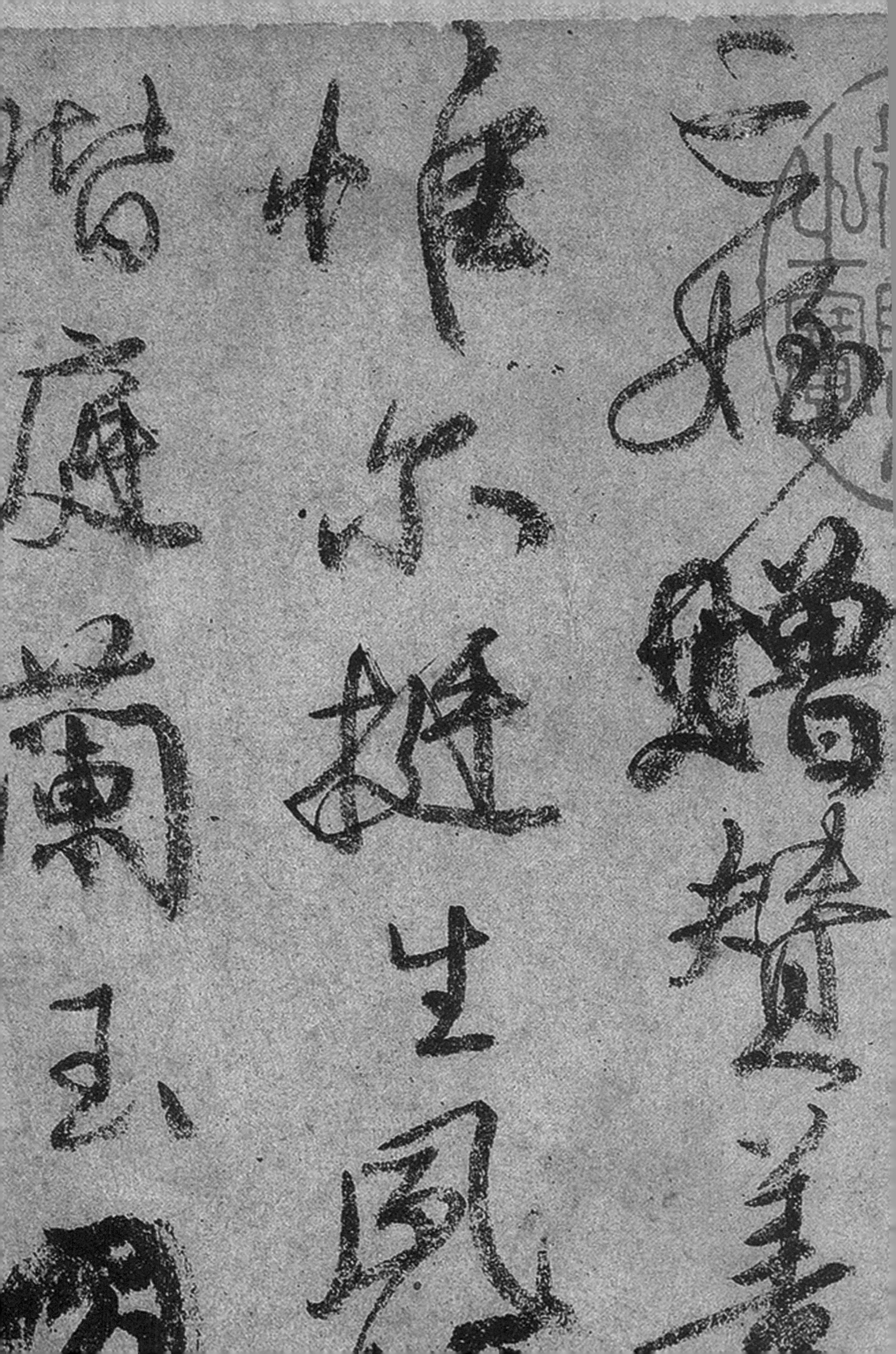

二王鍾繇之書

便不姓生風

悟度蘭亭